GW00384290

19/08/2004

Querida Bethanie,

¡muy feliz cumple! Esperamos
que puedas disfrutar de
este librito. Lo puedes llevar
a Inglaterra pero que no
extrañes demasiado a Argentina.
Te queremos mucho,

Sandra y Jorge

" Tomar un trago de suave vino tinto templado, y luego inclinarse y cortar un pedazo de carne del asado, fragante y crujiente delante de uno, sumergirlo en la fuerte salsa de vinagre, ajo y pimentón, y después llevarlo a la boca, dulzón y jugoso, fue uno de los momentos más gratificantes de mi vida. "

Gerald Durrell, *Tierra de murmullos*, 1961

Otros títulos Publicados por Maizal

Español/Spanish
El Mate
El Tango
El Gaucho
Argentina Natural
Vinos Argentinos

Inglés/English
The Mate
The Tango
The Gaucho
Argentine Nature
Argentine Cookery
Argentine Wines

Bilingüe/Bilingual
Teatro Colón
Pintura Argentina/
Argentine Painting

Argentrip
Argentina's on-line travel guide
www.argentrip.com

Diseño: Christian le Comte y Sophie le Comte
© Mónica G. Hoss de le Comte, 2000

Hecho el depósito que previene la ley 11.723
I.S.B.N. 987-97899-8-9
Editado por Maizal
Muñiz 438, B1640FDB, Martínez
Buenos Aires Argentina
email: lecomte@cvtci.com.ar
Impreso en Abril de 2003.
Impreso por Morgan Internacional.

Mónica Hoss de le Comte

La Cocina Argentina

MAIZAL
EDICIONES

Antes de la Conquista

Cuando el Adelantado Don Pedro de Mendoza llega en 1536 al Río de la Plata y funda por primera vez la Ciudad de Buenos Aires, sólo encuentra tribus de indios nómades que recorren la pampa recolectando, cazando, pescando y cultivando algo de maíz. Los animales autóctonos son la vizcacha, el guanaco, el ñandú, las perdices, que los indios comen casi siempre crudos. Pero en la zona del noroeste del territorio argentino vivían indios que habían estado en contacto con la civilización incaica y sus costumbres eran diferentes, sabían cultivar la tierra, habían aprendido a construir terrazas de cultivo y complejos sistemas de riego, preparaban sus comidas en ollas y sus principales ingredientes eran el maíz, la papa y la carne de llama. Los indios del norte necesitaban una cuchara para comer.

Cuando los españoles traen el ganado que se multiplica libremente en la inmensa pampa, los indios de la zona central y la Patagonia aprenden rápidamente a domar caballos, que les facilitan la caza no sólo ya de ñandúes sino también de vacas y ovejas. Estos indios usaban el cuchillo para sobrevivir.

Desde el siglo XVII la comida principal de la Argentina fue la carne. Si no hay carne no hay comida. Recién desde principios del siglo XX los inmigrantes europeos cultivan frutas y verduras en abundancia en quintas alrededor de las grandes ciudades. En la época de la colonia había sido muy difícil conseguir mano de obra para cultivar la tierra.

Perdiz, Florian Paucke S. J., (1719-1779)

Viñeta de la portada del libro de Ulrich Schmidel (1505-1579), primer cronista del Río de la Plata (Levinus Hulsius, 1599). Schmidel cabalga sobre una llama acompañado por dos indios. El grabado simboliza el encuentro de europeos e indios.

Regiones gastronómicas

La Argentina se divide en cuatro regiones de diferentes costumbres gastronómicas:

· La zona del noroeste ha conservado más que ninguna otra zona, las antiguas tradiciones, tanto las incaicas como las hispano-criollas por no haber recibido tantos inmigrantes. Es la zona del algarrobo, el maíz, la papa, el ají y la llama, la zona de las comidas simples.

Calabaza
Florian Paucke S. J.
(1719-1779)

· La zona del noreste tiene influencia guaraní. Estos indios basaron sus comidas en la mandioca y el zapallo, en frutas como el mamón o papaya, en su queso criollo y en la exuberancia de los peces de los ríos Paraná y Uruguay.

Los aborígenes de esta zona conocían las propiedades medicinales de todas las plantas de la selva.

· La zona central es la zona de perdices, ñandúes, y vizcachas y después de la conquista, la zona de suculentos asados. Los españoles trajeron el ganado, el trigo, el puchero, las empanadas, los dulces. Más tarde llegaron los ingleses, los alemanes y finalmente los italianos con sus pastas, pizzas y salsas.

Ñandú
Florian Paucke S. J.
(1719-1779)

· La zona de la meseta patagónica de influencia araucana, es la zona del pehuén y del guanaco y después de la conquista española, también del caballo y la oveja, es la zona de la larguísima costa atlántica con sus frutos de mar. Tuvo también su inmigración: los alemanes de la zona de Bariloche que produjeron mermeladas de frutillas autóctonas, frambuesas y calafates, y prepararon cotos de caza de ciervos y jabalíes y los galeses de Gaiman con sus tortas negras. También llegaron los jesuitas que cultivaron manzanas en el Valle del Río Negro. Las truchas y salmones de los ríos, junto con los animales de caza mayor, se preparan con recetas europeas.

Portada de la Crónica del Viaje a los Mares del Sur de Amédée Frézier. Alegoría de la Joven América. Grabado de Picart le Romain, Amsterdam, (1717).

Casas de comida
en el antiguo Buenos Aires

Jarro colonial de plata

Jarro colonial de plata, siglo xviii

Los cocineros franceses influenciaron el gusto argentino durante siglos por su excelente cocina y por la admiración del pueblo argentino hacia todo lo que venía de Francia.

Buenos Aires fue fundada dos veces, en 1536 y en 1580. Ya durante los cinco únicos años de la primera fundación, existía una taberna. La primera fonda después de la segunda fundación, fue el local de Vázquez y Vergara.

En el antiguo Buenos Aires había muchos cafés, casas de juego y chocolaterías, pero muy pocos restaurantes. La gente almorzaba y comía en las casas porque tenían muy buen servicio, las calles no eran seguras ni estaban bien iluminadas y las veredas estaban en pésimo estado. La costumbre era recibir a los amigos en las casas particulares.

Se comía muy temprano, seguramente para aprovechar la luz del día.

Los cafés más famosos fueron el Almacén del Rey (1769, en la Recova), el Café de los Catalanes (1799), el Café de Marcos (1801, Bolivar y Alsina) célebre por las reuniones de conspiradores, revolucionarios y patriotas, y el más famoso de todos: el Café de la Comedia del francés Raymond (llamado por todos Ramón) Aignasse. Sus clientes más notables fueron Mariano Moreno, Manuel Belgrano y Santiago de Liniers. Fue Aignasse el primero que instaló una escuela de cocina en Buenos Aires: "para esclavas de casas ricas". Fue él también el que ofreció el servicio de catering al General Beresford en los 45 días en que Buenos Aires estuvo tomada por los ingleses en 1806. Frente al Fuerte (hoy desaparecido) sobre la actual Calle 25 de Mayo, estaba la Fonda de los Tres Reyes de Juan Bonfiglio, donde los oficiales ingleses comieron tocino con huevos: "fue todo lo que nos pudieron dar, pues cada familia consume sus compras de la mañana en la misma tarde y los mercados se cierran muy temprano". (A. Gillespie)

Entre 1817 y 1841 el hotel más importante de Buenos Aires fue el Hotel de Faunch frente a la Plaza Mayor. Juan Scriver, un viajero inglés que para en este hotel en 1825, es el primer extranjero que se entusiasma con los bifes argentinos que llama "maravillosos trozos de carne."

Jarro colonial de plata

El francés Joseph Duré junto con Raymond Aignasse fueron los responsables del suculento banquete para recibir al Virrey Olaguer y Feliú en 1799. Se conoce el menú: Entremeses de pan remojado en caldo de buey y recubierto con cebollas y ajos dorados en grasa vacuna; costillas de vaca asadas y chorizos ahumados; perdices en escabeche; gallinas cocidas con legumbres; cocido de cordero; olla podrida; caldo flaco de vaca con mandiocas hervidas; fruta.

Foto de Fernando Paillet, Bar de Basilio Marangoni, 1922

El maíz

Escudilla en cerámica.
Cultura
Chaco-santiagueña

Kero o vaso en
cerámica
Noroeste argentino

Emeric Essex Vidal
(1791-1861) "Plaza"

El maíz, el verdadero oro americano, es originario del norte de Chile y sur del Perú y fue cultivado antes de la llegada de los conquistadores en toda América del Sur. Las plantas de maíz originarias de esta zona, eran mucho más bajas que las encontradas por Hernán Cortés en Méjico y que llevó a Europa. Existen más de 250 variedades y se identifican según su color, tamaño y cantidad de granos por mazorca. Las dos variedades más comunes son el Zea Mays (maíz dulce y tierno) y la variante Everta, con la que se produce el pochoclo o pororó. La planta integra la familia de las gramíneas y con el trigo y el arroz, es el cereal más cultivado en el mundo. En la Argentina se siembra entre octubre y noviembre y se cosecha en enero y febrero. El maíz es el trigo indio y el ingrediente fundamental de sus comidas. Para cultivarlo los indios construyeron andenes o terrazas de cultivo y para facilitar el riego y aprovechar las laderas de las montañas, diseñaron inclusive sofisticados sistemas de diques para almacenar agua.

Las comidas del noroeste que se producen con maíz son muchas: la **chuchoca**, locro de maíz fresco tostado con carne de cabrito; el **chancao**, maíz machacado y sancochado en grasa de oveja o llama y con ají como único aderezo; el **mote**, granos de maíz capia dejados en lejía de ceniza, base de muchos guisos; el **tulpo**, harina de maíz cocido con charqui de oveja (chalona) y ají; el **frangollo**, harina de maíz cocida en agua y sal con una fritanga de ají y cebolla, muy parecida a la

polenta; el **sanco**, al que además del maíz, se le agrega carne y tomate, y fue manjar sagrado de los Incas;
el **anchi**, unas bolitas de harina de maíz hervidas en
un caldo de agua, grasa, cebolla, carne y ají; el **ancuo**,

*"**Jesús en casa del Fa-
riseo**", Anónimo, Perú.
La distribución de los
platos sobre la mesa es
un ejemplo de un ban-
quete sudamericano
en la época colonial.*

el maíz tostado en ollas de barro sobre las brasas que
reemplazaba al pan. Todas estas comidas llevan muy
pocos ingredientes, su elaboración es muy sencilla y
muy lenta.

En el noreste se cocina la **sopa paraguaya**, que no es
una sopa sino una especie de polenta; el **mbaipí**, con
mazorcas tiernas ralladas con queso y cebolla; el
yopirá, maíz blanco con mandioca y batatas y el **revi-
ro** con harina de trigo, leche y grasa de vaca. De las
comidas preparadas con maíz, las más famosas que
aún hoy se preparan en todo el país son el locro, los
tamales, las humitas, la carbonada y la mazamorra.

En la época colonial, al terminar las comidas, era
común servir una fuente de choclos hervidos con un
poco de manteca y sal o cocinados a la parrilla.

Los choclos se toman con las manos, no se usan cu-
biertos para comerlos.

*Detalle de una
acuarela de Adolph
Methfessel (1871)*

Locro

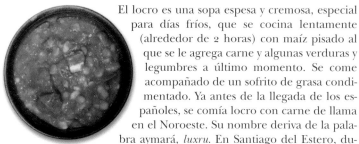

El locro es una sopa espesa y cremosa, especial para días fríos, que se cocina lentamente (alrededor de 2 horas) con maíz pisado al que se le agrega carne y algunas verduras y legumbres a último momento. Se come acompañado de un sofrito de grasa condimentado. Ya antes de la llegada de los españoles, se comía locro con carne de llama en el Noroeste. Su nombre deriva de la palabra aymará, *luxru*. En Santiago del Estero, durante la Cuaresma, se come **guashalocro** preparado con choclo fresco y sin carne.

Ingredientes
3 tazas de maíz pisado y remojado desde la noche anterior
2 tazas de porotos alubias remojados desde la noche anterior
200 gr de panceta ahumada cortada en tiritas
3/4 kg de carne, preferentemente de falda, cortada en pedazos chicos
3 chorizos colorados cortados en rodajas gruesas
4 puerros, 4 cebollas de verdeo, 1 kg de zapallo cortado
1/2 kg de batatas peladas y cortadas
2 cucharadas de pimentón dulce
2 cucharadas de comino en grano

Salsa (sofrito de grasa)
Ingredientes
2 cucharadas de grasa de pella
4 cebollas de verdeo
1 cucharada de pimentón dulce
1 cucharada de sal
2 cucharadas de ají picante

Para la salsa, se rehoga la cebolla en la grasa y se agregan los condimentos. Esta salsa se sirve aparte porque puede ser muy fuerte.

Colocar en una cacerola 4 litros de agua y agregar el maíz y los porotos y hervirlos durante 25 minutos. Agregar la carne, la panceta y los chorizos. Cocinar durante 45 minutos y agregar el zapallo, las batatas, los puerros y las cebollas de verdeo y hervir a fuego suave durante 30 minutos más. Si es necesario se puede agregar más agua caliente.
Condimentar a último momento. Al locro se le puede agregar mondongo cortado en tiritas y un poco de tripa gorda.

Humita

Humita es una comida blanda, simple y rápida. Muchas veces se la acompaña con queso fresco o quesillo cortado y dispuesto sobre la preparación.
El secreto del éxito de la humita se basa en la correcta elección de los choclos. El grano debe ser grande porque contiene mucha fécula que ayuda a formar una crema consistente.

Ingredientes
10 choclos
2 tomates grandes pelados, sin semilla
1 ají
1 cebolla de verdeo y 1 cebolla común
2 cucharadas de grasa de pella
1 pizca de pimentón
1 pizca de pimienta
1 pizca de azúcar
1 vaso de leche

Cebolla de Verdeo

Juan León Pallière,
(1823-1887)
Pisadora de Maíz

Rehogar en la grasa, sin dejar que se doren, la cebolla y el ají picado. Añadir los tomates y después de 5 minutos, agregar los choclos rallados y la leche. Cocinar suavemente hasta que el choclo esté tierno. Si se secara mucho, agregar un poco más de leche. Colocar la preparación en cazuelas de barro, espolvorear con azúcar y poner en el horno durante unos minutos hasta que se dore el azúcar.

Tamales

Ingredientes
4 tazas de harina de maíz
2 tazas de zapallo hervido
6 cucharadas de grasa de pella
1 cucharadita de pimentón
1 cebolla de verdeo picada
3 tazas de relleno de carne para empanadas (ver página 29)

Zapallo
(Cucurbita sp)

Derretir la grasa y formar con la harina de maíz, el zapa-llo, el pimentón, la cebolla de verdeo y la cantidad nece-saria de agua, una masa compacta y dejar enfriar. Tomar porciones, ahuecar, rellenar con la preparación de carne y formar croquetas. Acomodar la preparación sobre 2 chalas de maíz en forma de cruz, hacer un paquete y atarlo con hilo de la misma chala o con piolín. Hervir los paquetitos en agua con sal durante 30 minutos.

Zapallo
(Cucurbita sp)

Pan de maíz

Este pan es una especialidad de Catamarca.

Ingredientes
1/4 litro de leche agria, 3 huevos
50 gr de manteca derretida,
3/4 kg de harina de maíz blanco
2 cucharaditas de bicarbonato de sodio

Se disuelve el bicarbonato en la leche y se le agre-gan los huevos bien batidos, la manteca y la harina. Una vez bien mezclados los ingredientes, se forman los pancitos y se cocinan en horno moderado, durante 1/2 hora.

Mazamorra con leche

"Mazamorra cocida para la mesa tendida."
"Mazamorra espesa para la mesa."
Pregones de los mazamorreros en el Buenos Aires colonial

La mazamorra es el postre rural que más rápidamente se impuso en todo el país. En Buenos Aires lo vendían los negros emancipados en los barracones de la Recova de la Plaza Mayor. Se dice que la mejor mazamorra la traían ellos, porque la llevaban a caballo y al ser sacudida en los tarros, quedaba más rica. Además, la costumbre era prepararla en lejía y revolverla con un palo de higuera.

En el norte, en Corrientes y Misiones, la llaman **caguiyí** y **api** en Santiago del Estero.

El Nacimiento de la Virgen (detalle), Alto Perú, siglo xix

Ingredientes
1 litro de leche
1/2 kg de maíz blanco pelado y pisado, remojado en 8 tazas de agua desde la noche anterior
200 gr de azúcar
1 chaucha de vainilla

Hervir el maíz en el agua de remojo y dejar que hierva suavemente hasta que los granos de maíz se ablanden. Esto puede llevar bastante tiempo. Dejar enfriar al fresco. Hervir la leche con el azúcar y la vainilla y añadirlo al maíz. Dejar cocer durante 1/4 de hora más y retirar.

Choclo (Zea mays)

Carbonada

Carbonada es un guiso o sopa espesa.

Ingredientes
3/4 kg de carne (bola de lomo), cortada en cubos
70 gr de grasa de pella
1 zapallo cocido de alrededor de 5 kg.
2 cebollas cortadas finitas
4 tomates cortados en pedazos sin semillas
1 ají
2 tazas de caldo
2 tazas de choclo amarillo desgranado
3 papas cortadas en cubos
2 batatas cortadas en cubos
2 tazas de zapallo en cubos
2 zanahorias
3 choclos precocidos, cortados en ruedas
sal, pimienta, 1 hoja de laurel, 1 cucharadita de tomillo, un
poco de azúcar. El gusto dulce del zapallo se puede aumen-
tar agregándole a la preparación duraznos o peras y en
invierno, frutas desecadas.

Tomate (Lycopersicon esculentum)

Rehogar la cebolla picada en la grasa derretida, agregar la
carne y bajar el fuego. Agregar los tomates, los condimentos
y el caldo. Después de 20 minutos, agregar el choclo, las
papas, las batatas, las zanahorias, el zapallo y cocinar
hasta que la carne esté tierna. En los últimos minutos se le
puede agregar la fruta. Debe quedar como un guiso jugoso.
Se puede servir dentro de un zapallo cocido. Para cocinar el
zapallo, quitarle la tapa superior y las semillas, ahuecarle
cuidadosamente el centro, rociarlo con un poco de agua,
taparlo con papel de aluminio y cocinarlo en una fuente
con un poco de agua y unos pedacitos de manteca hasta
que esté tierno.

Cebolla (Allium cepa)

**Eduardo Pingret
"Cocina poblana",
Méjico (1882)**

Harina

"Ave María, acá está el pan de cada día."
Pregón del panadero en la época colonial

La primera panadería en Buenos Aires fue fundada en 1843 y se llamó El Cañón. Sus bizcochos fueron famosos.

El trigo y el centeno fueron traídos por los conquistadores, sin embargo, los indios también preparaban

Santa Catalina y la Virgen hacen pan para los pobres, Cuzco, siglo xviii

pan usando los productos de cada región. Después de la conquista, el pan de trigo solamente pudo ser consumido cerca de las ciudades, donde se cultivaba en las tierras llamadas "de pan llevar". El gaucho rara vez comía pan. En las pulperías de la campaña sólo se conseguía galleta que, según muchos viajeros, era de pésima calidad.

Las primeras moliendas de trigo se hicieron en pequeñas tahonas y el pan se vendía en la plaza pública, en las pulperías o se llevaba a domicilio.

Los aborígenes producían su pan usando harina de algarroba, de mandioca y de maíz.

Tupo araucano,
siglo xviii

Pan de chicharrones

Chicharrones son los pequeños restos de carne frita
que quedan cuando se ha preparado la grasa de pella,
(ver pag. 28). Este pan se prepara en la ceniza caliente, en horno de barro.

Ingredientes
1/2 kg de harina, 1/4 kg de chicharrones
50 gr de levadura disuelta en salmuera
50 gr de grasa

*Mezclar todos los ingredientes y agregar al final
los chicharrones. Cubrir con un paño y dejar que
leude en un lugar calentito. Formar pancitos y cocinarlos hasta que se doren en horno bien caliente.*

Bizcochos de grasa

Ingerdientes
400 gr de harina común
2 chucharaditas de sal fina
2 cucharaditas de polvo de hornear
2 yemas, 1/4 taza de leche fría
100 gr de grasa de pella fría

*Pasar la harina, la sal y el polvo de hornear por un
tamiz para que se mezclen bien. Poner la preparación sobre la mesada y desde el centro mezclar la
grasa con las yemas y unir con leche. Dejar descansar
unos minutos y estirar la masa hasta que tenga 5
milímetros de espesor, cortar los bizcochos, ponerlos en una
placa engrasada, pincharlos con un tenedor y cocinarlos en
horno caliente.*

La araucaria

De crecimiento muy lento, la araucaria (Araucaria araucana o imbricata) es un árbol único en el mundo. Crece a más de 1000 metros sobre el nivel del mar y puede llegar a tener 40 metros de alto.

Su fruto es el piñón, "nguillú" en mapuche, que se recoge en marzo.

Los piñones cuando son tiernos, se pueden comer crudos, pero si son muy duros necesitan una cocción de hasta dos horas o deben ser tostados, para ser comestibles. Es un fruto alargado y blanco con gusto a castaña.

Para deshidratarlo, los indios lo cuelgan del techo de sus viviendas, enhebrado en hilos. Los niños araucanos comen la resina cristalina que brota de las ramas como si fuera un caramelo. "Entre los árboles que traen fruta, el buen Dios creó, para el beneficio de la gente, la araucaria, o como le dicen los indios, el Pehuén, cuyas cápsulas de semillas con forma de bola o cabeza no consideraban al principio como alimento. Los mapuches veneraban la araucaria y la consideraban un árbol sagrado: a su sombra rezaban, le brindaban ofrendas de carne, sangre y humo, salpicándolas con mushai, la chicha dulce o fermentada; lo adornaban con regalos y le hablaban como si fuera una persona, hasta se confesaban con él." Así describe al pehuén, Bertha Koessler-Ilg en su recopilación de cuentos araucanos.

Piña de Araucaria

Para conservar los piñones durante el invierno, se los guardaba en silos subterráneos. Una vez secos se pueden machacar para hacer harina que los indios llaman **chichoca**.

Antes y después de la recolección, los indios rezan alrededor del árbol. Cada piña tiene unos 300 piñones y cada árbol unas 25 piñas. Los mapuches de la zona del pehuén se llaman pehuenches, los "Hombres del Árbol".

El algarrobo

El algarrobo es el árbol del Noroeste argentino y nada tiene que ver con el algarrobo europeo (Ceratonia siliqua), pertenece a la familia de las leguminosas neimosóideas y existen dos variedades: el algarrobo blanco (Prosopis Alba) y el algarrobo negro (Prosopis nigra) que es más chico. En guaraní se lo llama Ibopé, que quiere decir "el árbol puesto en el camino para comer". Para los indios es el árbol por antonomasia. A la Pachamama, la Madre Tierra, la representan sentada bajo la sombra de un algarrobo, allí ella escucha los ruegos de su gente.

El algarrobo alcanza unos 15 metros de altura con un tronco de hasta 1 metro de diámetro. Su fruto es una larga vaina marrón rica en proteínas, celulosa, azúcar y almidón. De su fruto los indios preparaban patay, arrope, aloja.

Patay

Dice Sánchez Labrador: "De la harina de la Algarroba hacen una especie de pan, que los españoles llaman Patay [...] su preparación es muy fácil. Muelen la algarroba bien seca al sol; la ciernen prolijamente y la harina floreada y limpia se pone en platos hondos, escudillas, o en moldes de la figura que se quiera. Así se deja toda la noche al sereno y por la mañana está apretada y unida de modo que no se desmorona. Las personas de gusto delicado mezclan con la harina, antes de ponerla al sereno, anís u otras cosas aromáticas, con lo que el pan sale mucho más delicioso. Comen este pan a secas, y después beben agua o lo deshacen con un cuchillo, lo ponen en un vaso, lo deslíen y beben." y agrega, "si se toma un pedazo en la boca y se lo deja para que se ablande despacio, resulta igual como si se tuviera el mejor azúcar en la boca y no parece ser harina."

Cándido López (1840-1902) "Batalla de Yatay", 1865

La mandioca

J. Sánchez Labrador
S. J. (1717-1798)
El Paraguay natural

J. Sánchez Labrador
S. J. (1717-1798)
El Paraguay natural

"…[la mandioca]
habría sido indica-
da a los indios por
el Santo Apóstol
Tomás para comida."
Florian Paucke, P. J.
(1719-1779)

La mandioca (Manihot esculenta) es una planta que crece en la selva del Noroeste y muchas veces reemplaza al maíz.

"Estas raíces se comen asadas, cocidas o en harina. Cocidas y principalmente asadas, tienen gusto a castañas y son un excelente alimento. Para comerlas se les raspa la cortecita exterior parda. Suplen muy bien el pan de trigo y de maíz. Para reducirlas a harina usan varios medios, unos, lavadas las raíces y despojadas de la cortecilla, las raspan, secan las raspaduras al sol, las machacan en morteros de palo y ciernen por algún paño ralo, que sirve de cedazo. Otros ponen las raíces en agua, éstas fermentan y se desfleman, levantando una espuma gruesa y gomosa Bien pasadas del líquido, las exprimen, dejan secar al sol, machacan y hacen harina." (Sánchez Labrador).

La tapioca es la fécula de la mandioca que se usa para espesar sopas.

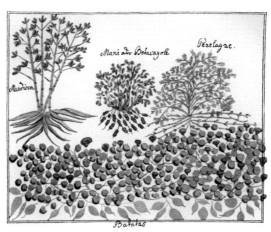

Chipá

Los chipás, pancitos de mandioca, reemplazan al pan en las provincias de Corrientes, el Chaco y Misiones. Hoy en día los chipás se han hecho muy populares en Buenos Aires y se venden en pequeñas bolsitas en puestos callejeros.

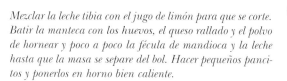

Ingredientes
150 gr de grasa de pella (también puede ser
manteca bien derretida)
3 huevos
150 gr de queso rallado
1/2 taza de leche tibia
jugo de medio limón
alrededor de 3/4 kg de fécula de mandioca,
1 cucharadita de polvo de hornear

Mandioca
(Manihot esculenta)

Mezclar la leche tibia con el jugo de limón para que se corte.
Batir la manteca con los huevos, el queso rallado y el polvo
de hornear y poco a poco la fécula de mandioca y la leche
hasta que la masa se separe del bol. Hacer pequeños pancitos y ponerlos en horno bien caliente.

Caburé

Detalle de "La Última Cena", Convento de San Francisco, Lima

En las regiones del Alto Paraná, el caburé se prepara con grasa de pella, queso criollo, salmuera y almidón de mandioca.
La manera primitiva de preparar caburé es envolver una rama fresca con un pedazo de masa y hacerla girar sobre las brasas hasta que esté cocida.

Empanadas

Después del asado, probablemente el plato más típico de la Argentina, sean las gloriosas empanadas, menú obligatorio de toda fiesta. La receta de las empanadas llegó de España, traída por andaluces que tantos siglos estuvieron en contacto con los árabes. La costumbre de poner un relleno dentro del pan o una masa similar, se repite en muchas culturas, pero en la Argentina se ha convertido en un plato con ciudadanía propia.

Estas crujientes y chorreantes empanadas tienen una receta característica en cada provincia, se puede decir que cada familia tiene su secreto que cuidadosamente es pasado de madre a hija. Nada es demasiado exacto en cuanto a la masa y su relleno y cada región le agrega los ingredientes que abundan en el lugar.

Las empanadas son, principalmente, de carne, pero pueden ser de pescado (atún o bacalao, especialmente las que se preparan durante la Vigilia Pascual), pollo, jamón y queso, verdura, mariscos, de humita o rellenas de dulce para postre.

Las empanadas del Noroeste siempre tienen papas en su relleno (en Jujuy inclusive se le agregan arvejas), y en la zona donde hay vino se le ponen pasas de uva. Las riojanas tienen aceitunas, las tucumanas son más chiquitas y pueden ser de gallina hervida en caldo con muchas verduras, las catamarqueñas son picantes y las cordobesas más dulzonas y más grandes, las sanjuaninas tienen muchos condimentos y las mendocinas tienen más cebolla que carne.

En la Patagonia, donde las empanadas llegaron mucho más tarde, se hacen de carne de cordero, de liebre o de camarones, en Corrientes y Santiago se pueden comer también de vizcacha. En el Noreste, la harina de la masa es comúnmente mezclada con harina de mandioca.

Detalle de "La Última Cena", Convento de San Fransisco, Lima

Luisa María
Cristofoletti De Servi
(1890-1982)
Villa Corina, Córdoba

Cuando en un mismo negocio se preparan empanadas de diferentes gustos, a cada una se le hace un repulgo diferente para reconocerlas.

Consejos para una empanada perfecta:

❧ *Cuando se prepara la masa, al incorporar la grasa derretida a la harina, hay que añadirla tibia y trabajar rápidamente. La masa no se debe amasar, sólo formar un bollo, luego dejarla descansar cubriéndola con un repasador.*

❧ *El relleno pre-cocido debe estar frío cuando se arman las empanadas, así resultan más jugosas.*

❧ *Si se las quiere más jugosas aún, se les debe agregar más cebolla. Agregar los condimentos a último momento.*

❧ *Los huevos duros y las aceitunas sin carozo deben ser agregados una vez que el relleno esté frío para que no se deshagan. Humedecer solamente la mitad del disco para que se peguen bien.*

❧ *El repulgo debe hacerse hacia arriba para evitar que se escape el jugo.*

❧ *Una vez preparadas y antes de ponerlas al horno, taparlas con un repasador hasta que lleguen los invitados. La mejor empanada es la que está recién hecha.*

❧ *Pincelarlas con huevo batido antes de ponerlas al horno en placas enmantecadas para que no se peguen.*

❧ *El horno debe estar muy caliente.*

Fuente de plata colonial

Fuente de plata, siglo xviii

Empanada criolla

Ingredientes para la masa
1 kg de harina
250 gr de grasa de pella
1 cucharada de té de sal fina
1 taza de agua fría

Poner la harina en forma de corona sobre la mesa, disponer en el medio la grasa derretida a Baño María o fuego muy bajo y la sal disuelta en un poco de agua.

Unir los ingredientes y formar una masa firme. Dejarla descansar por espacio de un cuarto de hora, tapada con un lienzo. Luego sobarla enérgicamente, dividirla en pequeñas porciones y hacer bollitos.

Grasa de pella
Cortar la riñonada o grasa de pella en cubos y derretirla en una cacerola a fuego fuerte hasta que se derrita totalmente y floten los chicharrones (pedazos de carne con grasa tostada que se pueden comer con un poco de sal). La grasa debe colarse y dejar enfriar. Guardar en la heladera.

Estirar cada uno de ellos dándoles forma redonda de 3 milímetros de espesor y dejarlos reposar durante 10 minutos. Ésta es la forma tradicional de estirar la masa. Para simplificar este paso se puede estirar toda la masa con el palote y cortar con un cortapastas. Una vez cortadas deben dejarse reposar. Poner encima de cada disco de masa fría, una cucharada de relleno. Humedecer el borde y cerrar las empanadas con un repulgo firme.
A medida que se las va haciendo, ponerlas sobre una mesa espolvoreada ligeramente con harina y taparlas con un lienzo. Una vez armadas todas las empanadas, colocarlas en una placa, darles 2 pinchazos en la parte superior y cocinarlas en horno muy caliente durante 10 a 12 minutos como máximo. Retirarlas y servirlas de inmediato.

Empanadas tucumanas

Ingredientes para el relleno
1 kg de bola de lomo o nalga cortada en cubos
muy chiquitos
300 gr de cebolla de verdeo picada
600 gr de cebolla picada fina
250 gr de grasa de pella o margarina
60 gr de pasas de uva sin semilla
3 huevos duros picados
1 cucharada de pimienta dulce
1 cucharada de ají picante, sal a gusto

Echar agua hirviendo sobre la carne cortada, escurrirla y echarle agua fría y volverla a escurrir. Se fríen el pimentón y la cebolla en la grasa, se le agrega la carne y se la deja unos minutos hasta que esté cocida. Se le mezclan los condimentos y se deja enfriar la preparación. Las pasas de uva y el huevo picado son agregados cuando la preparación ya está fría.

Ají picante
(Capsicum frutescens)

Empanadas de dulce

Estas empanadas pueden ser de manzana pelada y rallada con un poco de azúcar, canela molida y pasas de uva remojadas en ron o se las puede rellenar con un pedacito de dulce de membrillo o de batata. Una vez horneadas, espolvorearlas con azúcar impalpable.

En España las empanadas se hacen con aceite, en la Argentina el aceite fue sustituído siempre por grasa de pella.

F. Brambila
(1750-1832)
Vista de Buenos Aires
desde el camino de
las carretas, 1794

El ají

Ají verde
(Capsicum annuum)

Ají colorado

El ají llegó por el camino de los Incas y fue usado primeramente por todas las tribus de indios del Noroeste. Está presente en todas las comidas de la región.

El ají o pimiento (Capsicum annuum) es una solanácea originaria de la zona tropical de América del Sur y fue exportado a Europa en el siglo XVI. Hay pimientos verdes, amarillos y rojos y su color depende del momento de la cosecha y de su maduración. Se pueden comer crudos o cocidos.

El pimentón en polvo, usado en la cocina española, se obtiene de los pimientos rojos desecados y machacados en mortero.

La guindilla (Capsicum frutescens) pimiento picante o chile, llamado en la Argentina "el de la mala palabra", también llamado pimiento de Cayena, es un fruto de menor tamaño que es disecado y triturado para ser mezclado en la preparación de salsas picantes.

El zapallo

F. Paucke S. J.
(*1719-1779*)
"*Planta de ají*"

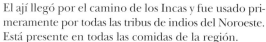

El zapallo alimentó a los americanos mucho antes de la llegada de Colón. Si bien existen zapallos en África, India e Indochina, algunas variedades de zapallo son exclusivas de la zona andina y del noroeste argentino, especialmente los grandes de pulpa amarilla. En Corrientes y Misiones se prepara el quibebe, un puré de zapallo y queso.

Las hierbas aromáticas

Las sierras de Córdoba tienen una importante producción de hierbas aromáticas, allí crecen la menta, la yerbabuena, la carqueja, el romero. Con las hierbas cordobesas, se producen los famosos amargos serranos.

*Salvia
(Salvia officinalis)*

Quibebe

*Ingredientes
1 kg de zapallo cortado en pedazos
1 litro de agua, 1/2 litro de leche
50 gr de manteca o grasa de pella
1 cucharada de cebolla picada
1 cucharada de perejil picado, queso rallado y queso mantecoso*

Cocinar el zapallo en la leche y el agua, escurrirlo y hacer puré. En la manteca dorar la cebolla, agregar el perejil y el puré y parte del caldo de la cocción. Servir con el queso.

*Menta
(Mentha sp)*

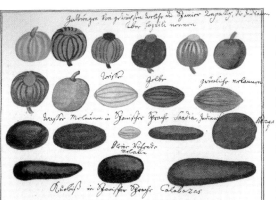

*"Cuando estos zapallos son aún chicos cual la redondez de una pequeña bola de bochas, tienen una cáscara muy blanda y los españoles suelen cocerla sin cortarla, haciéndose una buena ensalada."
(Florian Paucke)*

**F. Paucke S. J.
(1719-1779)
"Calabazas"**

La papa

Papa (Solanum tuberosum)

La papa (Solanum tuberosum) es el tubérculo de una planta que probablemente sea originaria del Perú, aunque Chile también la disputa.

Los Incas la cultivaban extensivamente y Pizarro la llevó a Europa, donde primero fue despreciada, ya que los europeos la usaron como planta ornamental y como forraje, pero la hambruna de 1789 hizo que cambiaran de idea. Hoy es una de las plantas más difundidas del mundo.

"...de las papas se puede sacar una harina blanquísima, la cual mezclada con la de trigo hace un buen pan [...] cuando las papas se sacan de la tierra se ponen a orear al sol por algunos días y después se guardan en lugar oscuro. De estas raíces se hace aquella harina gruesa que por acá llamamos chuño."
(Sánchez Labrador)

Luisa María Cristofoletti De Servi (1890-1982) "La cocina y el horno", Ranchito de Doña Rosario L. de Pereyra, Villa Esquiú, Córdoba

En América se cultivaba en las tierras más altas, donde ya no se podía plantar maíz.

La fécula de papa, llamada chuño, es la papa deshidratada que los indios sabían conservar durante mucho tiempo. En la Argentina se preparaba una crema con chuño, leche y un poco de vainilla para los bebes.

La batata

La batata (Ipomoea batatas) también llamada bonia-
to, camote o iñame, es un tubérculo que pertenece
a la familia de las convolculáceas, originario de
América tropical y las Antillas. Se utiliza en América
desde hace miles de años: se han encontrado batatas
fósiles de 10.000 años en el Perú. En la Argentina se
cultiva en Santiago, en Córdoba y a orillas del Río
Paraná. Fue llevada por Colón en su primer viaje a
Europa. De gusto similar a las castañas, es una excelente fuente de potasio, fósforo y betacaroteno.

Es famoso el dulce de batata (que se come junto con
queso fresco) y el único país que lo industrializa es
la Argentina. La batata pelada y triturada es cocida y
endulzada con jarabes de fructuosa, agar-agar y
aromatizada con vainilla.

"Hay dos clases diferentes [de batatas] en Paracuaria;
redondas y también alargadas; las redondas tienen
una cascarita colorada o rojo-violácea, pero las alargadas, una pardo-amarilla. Las coloradas sobrepasan
en grosor un buen puño y tienen una longitud de
un jeme, que son las más grandes que he visto. En el
interior son blancas, de un sabor dulce, aún más
dulces que una almendra. También pueden comerse
crudas, pero mucho más agradables son asadas
debajo de la ceniza o cocidas; son tan harinosas
como las patatas pero agradablemente dulces de
un sabor tan precioso como si hubieran estado
en agua de rosas, [...] los otros camotes
son alargados del grosor de un buen
jeme como un chorizo de hígado; son
también muy dulces, pero el interior es
amarillo." (Florian Paucke)

*Batata
(Ipomoea batatas)*

*Sistema de andenes
de cultivo según
S. Debenedetti, 1818*

*Ilustración de Felipe
Guamán Poma de
Ayala, 1587*

Puchero

"Un mundo, un compendio de ciencias naturales hervido en agua y perfumado con todas las especias y todos los aromas."
Xavier Domingo

Puerro
(Allium porrum)

El puchero, que según Florian Paucke es "una tormenta comilona que despierta cuerpo y alma", como tantas comidas que se cocinan en todas las provincias argentinas, no tiene una receta uniforme, sino que toma de cada región y en cada estación, determinados ingredientes. Al Río de la Plata llegó junto con las primeras mujeres españolas. Pero todas las recetas tienen carne como ingrediente principal, a la que se le agregan gran cantidad de verduras cocidas en agua. En España se lo llama cocido u olla podrida, en Francia, pot-au-feu, en Italia, bollito.

Perejil
(Petroselinum sp)

Ingredientes
1 kg de falda o azotillo
1 kg de hueso de caracú
1 cebolla grande cortada en dos
3 zanahorias cortadas en trozos grandes
1 ramo de especias aromáticas (perejil, cebolla de verdeo)
1 pimiento rojo cortado al medio, sin semillas
2 puerros, 3 nabos, 1 rama de apio, 1 tomate entero
1 repollo pequeño cortado en cuartos
4 papas peladas y cortadas al medio
4 batatas peladas y cortadas al medio
1/2 kg de zapallo o calabaza cortado en pedazos grandes
4 choclos, 3 chorizos
1 taza de arroz
sal gruesa
200 gr de panceta

Hacer hervir 4 litros de agua con sal y agregar los huesos y la carne. Espumar la cocción. Agregar las zanahorias, la cebolla, los nabos, el ají partido en dos, sin semillas, el tomate entero, los puerros, el perejil y el apio, según Paucke, "…no se olvide el pertinente condimento, pues es preciso que se halle agregado todo lo que incita al paladar y al olfato, fortalece al estómago y no daña a la salud."
Cocinar todo junto durante 1 hora. Agregar las papas peladas y cortadas y los choclos.
En otra cacerola cocinar las batatas, el zapallo, el repollo, la panceta y los chorizos.
Cocinar aparte también el arroz con parte del caldo. El puchero puede ser servido con salsa de tomate, vinagreta, salsa criolla, sal, vinagre, mostaza, etc. Se puede preparar de la misma forma el puchero de gallina.

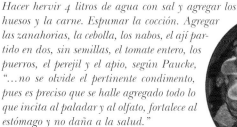

Un buen puchero

❧ *La carne debe agregarse al agua cuando ya esté hirviendo para que quede bien jugosa.*

❧ *Para que el caldo quede bien claro, se debe retirar la espuma con una espumadera.*

❧ *La panceta, los chorizos, el repollo, y todo ingrediente de sabor fuerte debe ser cocinado aparte.*

❧ *El puchero debe ser cocinado a fuego lento para que los ingredientes guarden todo su sabor. Si la carne está a punto y las verduras todavía necesitan cocimiento, se la puede retirar y se la agrega al final, para que esté bien caliente.*

❧ *Si la carne fuera de ternera, debe ser agregada un rato antes que las papas y los choclos.*

El puchero no se sirve con el caldo que se reserva para una sopa.

Revuelto Gramajo

Artemio Gramajo (1838-1914), el amigo y edecán del General Julio Argentino Roca (1843-1914), Presidente Argentino, inventó un nuevo modo de comer

huevos con jamón. Este plato es famoso en la Argentina y todos los restaurates lo incluyen en su menú.

*Ingredientes
30 gr de manteca
150 gr jamón cocido o panceta, cortado en cuadraditos
1/2 kg de papas fritas
8 huevos, sal, pimienta*

*Calentar la manteca y agregar los huevos ligeramente batidos con un poco de sal y pimienta, y el jamón. Revolver para que se cocinen los huevos, pero no olvidarse que la preparación debe quedar jugosa. Ése es el gran secreto. Servir el revuelto sobre tostadas, agregando las papas fritas a último momento.
Para facilitar la preparación del revuelto y poder servirlo para el desayuno, se pueden usar papas paille.*

La carne

*J. M. Rugendas
(1802-1858)
"Punta de las Vacas"*

*Peter Schmidtmeyer
"Muleteros de
Mendoza" (1820)*

La comida de los argentinos se basa en la carne, una carne excelente que tiene muy poca grasa y prácticamente no produce colesterol.

Ya los indios antes de la llegada de los españoles, comían carne: de guanaco, llama, mulita o armadillo, ñandú, perdiz o vizcacha.

El ñandú fue, junto con el guanaco, el alimento básico de los indios. Lo cazaban con boleadoras hechas precisamente de tendones de ñandú. Los indios de la Patagonia los comían condimentados con ají y sal y los cocinaban bajo piedras calientes. Recién en el siglo XIX se comienza a hervir su carne junto con hortalizas. Hoy existen criaderos de ñandúes y se comercializan sus huevos y su carne.

Dice el viajero Acarette de Biscay "...abundan las avestruces, que andan en tropillas como el ganado y aunque su carne es buena, sin embargo nadie la come, sino los salvajes, [...] sus huevos son buenos y todos los comen, aunque dicen que son de difícil digestión."

En primavera y verano cuando los ñandúes estaban flacos, los indios cazaban guanacos. En las cuevas de la Patagonia hay muchas escenas de cazadores de guanacos pintadas sobre la piedra.

Las vizcachas se usan en guisos, asadas o en empanadas. Las mulitas, peludos o armadillos se comían asados y su carne tiene el gusto del lechón.

Las perdices, una verdadera plaga en la pampa, también se comían al asador. Los indios se las ofrecieron a Pedro de Mendoza cuando llegó para fundar Buenos Aires.

Pero la carne preferida de los indios despúes de la conquista, fue la carne de caballo.

Cuenta Auguste M. Guinnard en *Tres años de cautiverio entre los patagones* (1856) "La mayor parte de los indios pampas posee hoy en día utensilios de cocina robados en sus expediciones de pillaje y que les sirven para preparar las viandas. Las mujeres, que son las encargadas de este quehacer, evitan cuidadosamente que los alimentos se cuezan o asen demasiado; ponen agua en una vasija, la calientan, cortan el trozo de carne en varios pedazos y los ponen en ella, y apenas empiezan a blanquearse, la comen enseguida con un poco de sal, pues el uso de este condimento les es conocido. En las tribus sometidas, se los ve a los indios comer carne bien asada o cocida, y sin embargo, también estos miran como un manjar exquisito el pulmón, el hígado y los riñones crudos de todos los animales, cuya sangre beben además caliente o cuajada."

Cordero Patagónico
El cordero es casi la única carne roja que se consume en la Patagonia. Su carne es magra gracias al clima de la región. El paisano la asa lentamente al asador y a la distancia justa del fuego, teniendo en cuenta el viento que sopla sin parar. Con su carne se pueden preparar deliciosas brochettes y con la pierna de cordero se preparan excelentes asados.

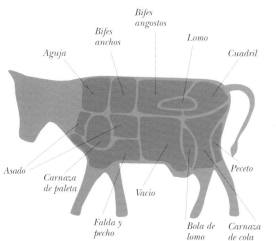

Bifes angostos

Bifes anchos

Lomo

Aguja

Cuadril

Asado

Carnaza de paleta

Vacio

Falda y pecho

Bola de lomo

Carnaza de cola

Peceto

Vizcacha

Armadillo

Grabados del libro de W. J. Holland, "To the River Plate and Back", 1913

El asado

Anónimo, 1798
Cholo del Tucumán

Hay tres maneras de hacer un buen asado: a la parrilla (la manera más común), al asador, donde la carne se asa perpendicular al fuego; y con cuero, también al asador. En el asado con cuero la carne se asa a fuego lento, a una prudente distancia de las brasas y del lado del cuero.

El asado es la comida del domingo que se comparte con la familia y con amigos. Todos los argentinos tienen una parrilla para preparar asado; si no tienen jardín, la parrilla puede estar en el balcón.

No es difícil hacer un buen asado, sólo hay que tener mucha paciencia y saber esperar. El asador, dueño de la carne, el cuchillo y el fuego, es siempre un hombre. Él es, durante el asado, el gran solitario y si uno se acerca para acompañarlo, posiblemente reciba un vaso de vino y el primer chorizo. Al asador no se le deben dar nunca consejos.

La lista de ingredientes de una parrillada completa es larga: carne, chorizos, mollejas, riñones, chinchulines, morcillas, etc. Pueden ser también pollos, corderos, cabritos o lechones.

Para que el asado esté completo, debe haber abundante pan, una buena ensalada, chimichurri y un buen vino tinto.

Antes de empezar

❧ El fuego debe hacerse con quebracho o con carbón, manteniendo la parrilla a 10 cm sobre las brasas.

❧ Preparar una tabla, y un tenedor y un cuchillo de mangos largos.

❧ Quitar el exceso de grasa a la carne, que puede ser tira, tapa de asado, tapa de bife ancho, vacío, colita de cuadril o el excelente lomo.

❧ Colocar los chorizos unos minutos en agua fría, y luego pincharlos para que salga la grasa y no estallen. Se cocinan alrededor de 40 minutos.

❧ Sumergir las mollejas en agua durante un rato para quitarles las membranas y los cartílagos más fácilmente. Quitarles la grasa. Se les puede agregar un poco de jugo de limón.

Juan León Pallière,
(1823-1887)
"Interior de Rancho"

❧ Quitar la tela de los riñones y asarlos enteros hasta que comiencen a dorarse. Entonces hay que partirlos al medio y asarlos del lado del centro. No ponerles nunca vinagre porque los endurece.

Para quitarles el gusto fuerte, se los puede poner en agua con sal y dejarlos allí unos minutos, antes de escurrirlos y asarlos.

❧ Lavar bien los chinchulines haciéndoles correr abundante agua.

Dejarlos en salmuera hasta ponerlos en la parrilla, arrollarlos y sujetarlos con palillos.

❧ Las morcillas se ponen a último momento, ya están cocidas y sólo hace falta calentarlas.

Juan León Pallière,
(1823-1887)
"La Posta, San Luis"

Un buen asado

❧ *El comensal espera al asado, nunca el asado al comensal. El asado es como el mate, tiene sus tiempos y no se lo puede apurar y se lo come lentamente a medida que sale de la parrilla.*

❧ *El fuego se prende con carbón o leña, nunca con otro tipo de combustible.*

❧ *Se hacen dos fuegos y se van sacando las brasas de uno, para ponerlo debajo de la parrilla. Las brasas deben estar distribuidas en forma pareja.*

❧ *Calentar bien la parrilla antes de poner el asado para quemar toda la grasa que pueda haber quedado de un asado anterior.*

❧ *El fuego fuerte arrebata el asado, el fuego suave lo apuchera, lo cocina, no lo asa.*

❧ *Dar vuelta la carne cuando los jugos comienzan a aparecer.*

❧ *Salar la carne a último momento para que el asado salga bien jugoso.*

❧ *Tener agua a mano por si la grasa prende fuego.*

❧ *Cortar la carne en porciones a último momento.*

❧ *Se calcula 1/2 kg de carne por persona.*

❧ *Empezar poniendo la tira de asado y el vacío apoyando el lado liso, después el riñón, las mollejas, los chorizos, chinchulines y morcillas. Reforzar el fuego debajo de la carne y atenuarlo bajo los chorizos, chinchulines y morcillas. Rotar las piezas para que se doren de todos lados.*

❧ *Las salsa criolla y el chimichurri se sirven en la mesa.*

❧ *El mejor postre para el asado es una ensalada de frutas o el Postre Vigilante: queso fresco y dulce de membrillo.*

❧ *Antes de empezar con el choripán (sandwich de chorizo) se pueden servir empanadas.*

*Facón de plata
Siglo xix*

El facón se llevaba en la espalda ajustado debajo del tirador, el gaucho nunca salía sin él.

**Juan Manuel Blanes
(1830-1901)
"Boleando avestruces"
"El Lazo"**

Chimichurri

El chimichurri es el condimento infaltable del asado y lleva ajo, perejil, vinagre y salmuera.

Ingredientes
10 dientes de ajo, 1 cucharada de orégano
4 hojas de laurel, 2 cucharadas de pimentón dulce
1 cucharada de tomillo, 1 cucharada de albahaca
1 cucharada de perejil picado, 1/2 cucharada de comino
1 cucharada de sal, 1/2 cucharada de ají molido
1/2 taza de aceite, 1/4 taza de vinagre
1 taza de agua hirviendo

Ajo
(Allium sativum)

Machacar los dientes de ajo y mezclar con los otros ingredientes. Se pueden poner todos los ingredientes en una botella y se la agita hasta que estén bien mezclados. Al chimichurri hay que prepararlo siempre el día anterior. Conservar en la heladera en frascos bien cerrados.

Charqui

"Alrededor de cada rancho en nuestro camino ese día, había pequeñas estacas por las que se habían pasado hilos y de allí colgaban pequeños pedazos de carne secándose al sol. Es éste el alimento favorito." (Gillespie)

Charqui es la carne secada al sol que puede conservarse durante largo tiempo. La palabra charqui deriva de la palabra quechua *acharqui* que significa flaco y seco. Para preparar charqui, se corta la carne en tiras, se sala para quitarle el líquido y se expone al sol, colgada de unos hilos, durante varios días, para que se seque.

Si el charqui se usa para cocinar, hay que dejarlo en agua durante toda la noche para que se ablande.

El gaucho llevaba charqui en sus largas travesías por la pampa, lo masticaba lentamente. Hoy se utiliza todavía en muchas comidas regionales.

Salsa criolla

Ingredientes
1/4 litro de agua, 1/2 cucharada de sal gruesa
1/4 taza de ají molido, 1 litro de vinagre de vino
1/2 cucharada de orégano, 3 hojas de laurel
2 dientes de ajo pelados y machacados
1 ramito de romero fresco
1/2 cucharada de pimentón colorado picante
1 cucharada de aceite

Romero (Rosmarinus
officinalis)

*Se hierve el agua con la sal. Una vez tibia se vuelca el agua
en un bol con el ají molido y se agregan los otros condimentos. Después de 24 horas de reposo, se cuela la preparación, presionando las especias y las hierbas. Se guarda en
una botella en lugar fresco. Esta salsa se usa para el asado.*

Matambre

Ají rojo
(Capsicum annuum)

Ingredientes
1 a 1 1/2 kg de matambre, desgrasado
1 zanahoria rallada, 4 o 5 huevos duros
4 cucharadas de queso rallado, 100 gr de jamón
1 ají cortado en tiritas, sal, pimienta, ají molido
y orégano, caldo para cocinarlo

*Ponerle al matambre sal, pimienta, ají molido,
orégano, el queso y la zanahoria. Estirar el jamón,
las tiritas de ají y empezar a enrollarlo desde la parte
más fina, agregándole los huevos duros. Una vez arro-
llado, coserlo con hilo y aguja y cocinarlo en el caldo en fuego
mediano durante 1 hora y media. Dejar enfriar dentro del
caldo y prensarlo. Conservarlo en la heladera hasta el día
siguiente. Servir frío.*

AMERICAE
PARS QVARTA.
Sive,

Insignis & Admiranda Historia de reperta
primùm Occidentali India à Christophoro
Columbo Anno M. CCCCXCII

Scripta ab Hieronymo Bezono Mediolanense,
qui istic ánis XIIII. versatus, diligēter omnia observa-
vit.

Addita ad singula ferè capita, non contemnenda scholia
in quibus agitur de earum etiam gentium idololatria.
Accessit praeterea illarum Regionum Tabula
chorographica.

Omnia elegantibus figuris in aes incisis expres-
sa à Theodoro de Bry Leodiense, cive
Francofurtensi Anno ↄↃ Iↄ XCIII. Ad
Invictiss. Rudolph. II. Rom. Imperator.
Cum privilegio S. C. Maiestat.

El pescado

Los argentinos han tenido siempre una marcada inclinación por las carnes rojas, sin embargo, muchos de los aborígenes vivían de la pesca, especialmente los que habitaban las costas de los grandes ríos. El hombre del Noreste argentino, respetuoso de su entorno, sabe que solamente debe pescar lo que necesita, sino el dios protector de los peces, ordenaría a las pirañas, que ataquen al depredador.

Álvar Núñez Cabeza de Vaca, el descubridor de las Cataratas del Iguazú, cuenta que "cuando las aguas están bajas, los naturales se vienen a vivir a la ribera con sus hijos y mujeres, a gozar de las pesquerías... están en esta buena vida bailando y cantando todos los días y las noches, como gentes que tienen seguro el comer."

La manera de pescar en la época de la colonia era bastante curiosa: 2 pescadores de pie sobre sus caballos entraban al río con una red tomada de sus dos extremos. Cuando el caballo empezaba a nadar, los pescadores se alejaban uno de otro y comenzaban a arrastrar la red hacia la costa.

En el Atlántico Sur, la pesca hoy en día se hace, por supuesto, desde barcos que salen a buscar bacalao, brótola, corvina, lenguado, merluza, se pueden pescar también moluscos como por ejemplo **vieiras** (Placopecten magellanicus) que se bucean en el fondo del mar o mejillones (Muscullus sp).

Los **mejillones** son de color negro azulado en el exterior y violáceo en el interior y su carne es amarilla. Para limpiarlos hay que rasparles el exterior con un cuchillo y lavarlos en muchas aguas para eliminar la arena, luego hay que hervirlos en agua y vino blanco a fuego fuerte y esperar que se abran solos (no

*Trucha Arco Iris
(Salmo sp)*

*Salmón
(Oncorhynchus sp)*

*Almeja
(Venus sp)*

*Vieiras (Placopecten
magellanicus)*

*Theodor de Bry
"Grandes Viajes
Tomo iv", Girolamo
Benzoni, 1594*

Mapa de América
Meridional ,
L. Hulsius, 1603

Indio en la costa del
Río Paraná, J. Edlen
von Kurzbeck, 1784

Canal de Beagle,
C. Martens

comer los que no se abren porque seguramente están en mal estado). Se los come con salsas livianas o mezclados con fideos o arroz.

Las **almejas** (Venus sp), de carne muy sabrosa, tienen valvas de color verdoso y forma alargada.

Los **calamares** (Loligo sp) son de diferentes tamaños. Las **rabas** son los anillos de los calamares más grandes, se pueden comer a la parrilla o fritas.

Hay también crustáceos como las **centollas** (Maia squinado), grandes y con forma de araña. (El indio las cazaba con arpones, las subía a la canoa y las asaba allí mismo, porque siempre llevaba fuego dentro de su embarcación). Se hierven igual que una langosta y se las prepara de la misma manera.

Los **camarones** son parecidos a los langostinos, pero bastante más pequeños y en nuestro país se venden ya hervidos. Se comen con jugo de limón o con la célebre Salsa Golf.

A lo largo de la costa patagónica los indios comían sopas de **algas** secadas al sol, **erizos de mar**, huevos de aves marinas o pingüinos, o preparaban **curanto.** Para el **curanto,** los pescados y mariscos se asan en un hoyo en la tierra debajo de piedras previamente calentadas. En los lagos y ríos que bajan de la cordillera se pueden pescar **truchas**. Redondas, de color pardo o con pintas negras y rojizas, su carne rosada es muy sabrosa. Existen tres variedades: arco iris, marrón y la llamada salmonada. El plato más popular es la trucha a la manteca negra.

Los **salmones** que se encuentran en los lagos del Sur argentino, fueron sembrados en 1904 con huevas provenientes de los Estados Unidos. Se los prepara hirviéndolos con agua y vino blanco. Se calculan 20 minutos por kg de salmón. El agua no debe hervir demasiado fuerte. Se los sirve con una salsa de manteca, jugo de limón y vino blanco.

La leyenda del dorado

Para los matacos, indios del Noreste argentino, al principio de los tiempos, los peces vivían dentro de un yuchán, (Chorisia speciosa) llamado también Palo Borracho porque su tronco tiene forma de botella. Chilaj, el dios que debía cuidar los peces, había autorizado a los hombres a tomar libremente los peces, salvo al dorado (Salminus maxilocua), que era la "fruta prohibida".

Pero, como sucede siempre, uno de los hombres, Tokjwaj, se animó a desobedecer, y se robó un suculento dorado. Como consecuencia de la mala acción, el árbol se deshizo en mil pedazos y formó los ríos Pilcomayo y Bermejo.

Los tripulantes de la expedición de Cavendish en Puerto Deseado, 1784

**R. Argelés,
(1894-1979)
"Pescadores"**

Dorado

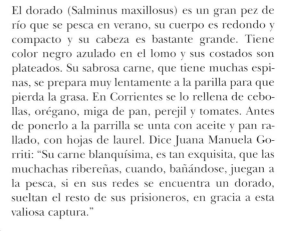

El lobo marino y la foca también fueron aprovechados por los indios, no sólo comieron su carne, sino también usaron su grasa y su piel. Cuando alguna ballena era arrojada a la costa, los indios la enterraban, para usar su carne en épocas de hambre.

El dorado (Salminus maxillosus) es un gran pez de río que se pesca en verano, su cuerpo es redondo y compacto y su cabeza es bastante grande. Tiene color negro azulado en el lomo y sus costados son plateados. Su sabrosa carne, que tiene muchas espinas, se prepara muy lentamente a la parilla para que pierda la grasa. En Corrientes se lo rellena de cebollas, orégano, miga de pan, perejil y tomates. Antes de ponerlo a la parrilla se unta con aceite y pan rallado, con hojas de laurel. Dice Juana Manuela Gorriti: "Su carne blanquísima, es tan exquisita, que las muchachas ribereñas, cuando, bañándose, juegan a la pesca, si en sus redes se encuentra un dorado, sueltan el resto de sus prisioneros, en gracia a esta valiosa captura."

*Dorado
(Salminus maxillosus)*

Pejerrey

El pejerrey (Basilichthys bonariensis) habita en el río, en el mar y en las lagunas, y se pesca todo el año. Tiene la carne muy blanca y sabrosa. Es de color plateado con bandas más oscuras en los costados. Se puede preparar de muchas formas, en filetes con jugo de limón, relleno, hervido o al horno. El pejerrey, aparece como Gran Paraná en el menú. El Gran Paraná se cocina poché al horno durante veinte minutos. Se lo sirve en su salsa con crema, papas cortadas en rodajas, limón y perejil fresco. Se puede servir también con arroz.

Pejerrey (Basilichthys bonariensis)

Palometa

La Palometa (Serrasalmus aureus) habita en el río y se puede pescar todo el año. Tiene afiladísimos dientes (hay que tener mucho cuidado porque muerden), forma ovalada y cuerpo semiplano, el dorso es azul y el vientre blanco azulado. La carne es algo grasa, tiene muy pocas espinas y su color es rosado. Florian Paucke compara su forma con la plancha de ropa "corta y muy ancha".

Se puede preparar a la parrilla, la forma más común a orilla de los ríos donde se pesca, al horno y en guiso.

Palometa
(Serrasalmus aureus)

Surubí

Surubí (Pseudo-
platystoma fasciatum
y coruscans)

Surubí (Pseudoplatystoma fasciatum y coruscans) habita en el río y se lo puede pescar todo el año. De cuerpo redondo, sin escamas, es de piel cenicienta con algunas manchas oscuras y de carne amarillenta, blanda y sabrosa. Se come a la parrilla o al horno y con salsa de tomates.

E. E. Vidal
(1791-1861)
"Pescadores"

Ensalada de centollas

Ingredientes
1/2 kg de centolla limpia cortada en tajadas finas
1 cebolla picada pasada por agua hirviendo
3 cucharadas de aceite
1 cucharada de vinagre; sal y pimienta

Mezclar todos los ingredientes y dejarlos macerar.

Centolla
(Maia squinado)

Salsa Golf

"Ha hecho más por la humanidad aquel que inventó
un nuevo plato que el que descubrió una nueva estrella."
Brillat Savarin

Palta con Salsa Golf
La mejor manera de
comer la palta es
cortándola por la
mitad y rellenándola
con camarones, jugo
de limón, una pizca
de sal y abundante
salsa golf.

Anónimo
"Arcángel San Rafael",
Cuzco, siglo xviii

La mezcla de tomato-ketchup y mayonesa fue la inspiración de un Premio Nobel argentino, el Doctor Luis Federico Leloir. A mediados de la década del 20, cuando todavía era estudiante, el Doctor Leloir estaba comiendo mariscos en el Golf Club de Mar del Plata y cansado de comerlos siempre con mayonesa, le pidió al mozo que le trajera todos los condimentos que tuviera a mano. Después de probar varias combinaciones, la mezcla que más le gustó fue la de mayonesa y tomato-ketchup. Como estaba en el Golf Club, el Doctor Leloir la bautizó Salsa Golf. Dicen que el Doctor Leloir se lamentó más tarde de no haber patentado su idea, porque los derechos de la fórmula hubieran servido para pagar muchas investigaciones y becas. En la Argentina casi todo se puede comer con Salsa Golf.

Bebidas alcohólicas

Vasija zoomorfa con asa puente

Los recipientes y botellas zoomorfas que representan animales comúnmente indeterminados, fueron moldeados por los indios del noroeste (área andina), para transportar líquidos.

En América se conocía el proceso de la fermentación antes de la llegada de los españoles. Los indios preparaban Chicha, Aloja, Guarapo, Chavü y muchas bebidas más, haciendo fermentar los frutos de cada región.

La **chicha** se preparaba en el Noroeste y no fue nunca tomada por la gente culta. Es el resultado de la fermentación del maíz en agua azucarada o la saliva humana. Las indias masticaban el maíz y lo escupían dentro de un recipiente de barro donde se producía la fermentación.

Esta manera de preparar chicha está totalmente prohibida por lógicas razones higiénicas.

Dice Juana Manuela Gorriti de la chicha: "Con ella el indio del norte se alimenta; con ella se refresca, y con ella también se embriaga algunas veces, para olvidar sus miserias."

Para el carnaval las caras impávidas de los collas se llenan de alegría. El origen de la alegría es la chicha.

El **licor de caraguatá** que se toma en las provincias del Nordeste, se prepara con el fruto de una planta muy parecida al ananá silvestre, más pequeño y de más sabor. El fruto se pela y se corta en trozos que se dejan un mes en un litro de caña. Después de colado, se le agrega un litro de almíbar. Este licor es, mezclado con miel, un excelente jarabe contra la tos.

La **aloja** es la cerveza indígena y está presente en todas las celebraciones populares del Noroeste argentino. En el norte las primeras alojas se sirven en los Pesebres de Navidad y las últimas para Carnaval. Se prepara moliendo en un mortero el fruto del algarrobo blanco (Prosopis alba) mezclándolo con agua fría. Es una bebida fresca y agradable

que tiene propiedades estomacales y diuré-
ticas. También puede hacerse con molle
(Schinus areira) o maíz. De la
harina de maíz se hace la re-
frescante **ullpada**, bebida que toman los pastores de cabras y ovejas
del norte argentino. Para el **licor
de caña con miel** se baten tres partes de caña con una de miel.

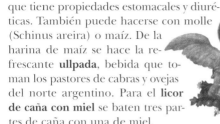

*M. Pérez Holguín
"Éxtasis de San
Pedro de Alcántara"
siglo xviii*

Los indios mapuches que habitaban la zona norte de
la Patagonia, preparaban una gran variedad de
bebidas alcóholicas pero no las tomaban nunca
durante las comidas. Beber para ellos era un rito
especial y una vez que empezaban, tomaban hasta
terminar la bebida.

Lucio V. Mansilla en su "Excursión a los Indios Ranqueles" cuenta: "Ellos no beben comiendo... beber es
un acto aparte. Nada hay para ellos más agradable.
Por beber posponen todo. Y así como el guerrero
que se apresta a la batalla prepara sus armas, ellos,
cuando se disponen a beber, esconden las suyas.
Mientras tienen que beber, beben, beben una hora,
un día, dos días, dos meses. Son capaces de pasárselo
bebiendo hasta reventar. Beber es olvidar, reír, gozar."
Cuando, después de un malón, conseguían huincapülcu (el aguardiente de los cristianos; pülku es el
nombre genérico de la bebida) se emborrachaban
con huincapülcu, si no tomaban las bebidas que ellos
mismos producían por simple fermentación, ya que
no conocían el proceso de destilación.
De los piñones de la araucaria o del pehuén (Araucaria araucana o imbricata), los indios fabricaban
chavü. Estos piñones son muy parecidos a las castañas europeas y fueron desde siempre, el alimento
de los indios del sur.

*El **guarapo** es una
especie de hidromiel
preparado a base de
caña de azúcar o
miel y agua caliente.
Siempre se tenía en
los campos de labran-
za una tinaja con
guarapo para calmar
la sed.*

Pequeño vaso de plata usado en el norte para tomar chicha.

A. Osorio Luque
(1913-1979)
"Carro con cañas",
Tucumán, 1976

Con la frutilla silvestre, Llahueñ, (Fragaria chilensis), los indios también preparaban una aloja llamada **piquillín**. Dice Auguste M. Guinnard, que durante tres años tuvo que convivir con los indios Pampa, "El arbusto que lo produce es muy copudo y sus hojas son muy pequeñas; tanto las más grandes como las más pequeñas están erizadas de espinas que impiden la recolección del fruto. Los indios usan un sistema muy cómodo y fácil: ponen debajo de la planta un cuero sobre el que caen las frutillas a medida que golpean las ramas con una vara.

Las frutillas son puestas en grandes alforjas de cuero que cuelgan del caballo; al galopar, las frutillas son aplastadas produciendo un jarabe que tiene el color del vino."

Las pulperías

La pulpería era almacén, taberna, casa de juegos, todo en uno y en el medio del campo. Sarmiento la llamó "el club del gaucho"; era el lugar de reunión del paisanaje y de los viajeros. Allí iban para comprar tabaco, yerba, azúcar, jabón, velas de sebo, sal, aceite, grasa, galleta y si la pulpería estaba cerca de la ciudad, también se podía conseguir pan. Además, en la barra, siempre protegida por una reja de hierro, se podía tomar caña (destilado de caña de azúcar), vino Carlón (un tinto traído de España, elaborado en Sanlúcar de Barrameda, en la Provincia de Cádiz), sangría (vino Carlón con agua y azúcar), naranjada, agrio (jugo de naranjas mezclado con azúcar y agua fresca o ginebra).

Los dueños eran casi siempre catalanes o andaluces y más adelante fueron italianos y los parroquianos eran casi exclusivamente hombres.

Las pulperías servían muchas veces de posta, de banco, de correo, de pista de baile, de campo de deportes (se jugaba a la sortija, al pato, se corrían carreras cuadreras), de sala de juego para los que se entretenían con naipes o con la taba; de escuela de cuchilladas, de teatro de hazañas cantadas por los payadores y de agencia de noticias.

Hubo pulperías también en Buenos Aires y las más famosas fueron La Blanqueada en el barrio de Belgrano, El Caballito, que dió origen al nombre del barrio, Las Tres Argollas, El Cañón, La Roldanita, La Buena Estrella.

Antiguo vaso de pulpería

Vaso de pulpería

**Juan León Pallière
(1823-1887)
"Pulpería"**

Los vinos

Todos los años en marzo, en Mendoza (la tierra del sol y del buen vino) se festeja la tradicional Fiesta de la Vendimia.

En su segundo viaje, Cristóbal Colón, trajo plantas de vid y de trigo a América, pero ni la vid ni el trigo fructificaron en las Antillas. Las plantas se transportaban en los barcos en grandes toneles llenos de tierra que eran dejados en cubierta para que tuvieran aire y luz.

Cuando Hernán Cortés lleva cepas de Extremadura a México en 1520 tiene más suerte. En 1539 se establece allí la primera bodega de América. Francisco Pizarro y Diego de Almagro llevan la vid al Perú y de allí pasa a la Argentina, que también recibió sarmientos desde Chile. En 1566 se plantan las primeras estacas en Mendoza. Cuando Mendoza empieza a producir vinos, debe transportarlos a Buenos Aires a lomo de burro, al rayo del sol, durante días y días, todos factores que no mejoran la calidad del vino. El mejor vino continuó siendo importado de España y Portugal. Muchas veces los productores mendocinos se quejaron ante la Corte Española, pero sus pedidos nunca fueron escuchados. Seguramente los patriotas en 1810 brindaron con vino importado. Después de esta fecha y muy lentamente, el vino cultivado al pie de los Andes se empieza a consumir en la Argentina.

En la segunda mitad del siglo XIX, los inmigrantes italianos, alemanes y franceses trajeron y cultivaron cepas traídas de sus tierras que mejoraron enormemente la calidad del vino.

E. E. Vidal (1791-1861) "Mulas transportando vino"

La producción, además, se empezó a transportar en tren desde 1885, cuando se inaugura la línea al oeste.

Los viñedos en la Argentina crecen en una franja
semiárida al pie de la Precordillera desde la provincia de Salta en el norte hasta la provincia de Río
Negro y parte de Chubut en la Patagonia. A lo largo
de esta llanura chata y alta (600 a 800 metros sobre
el nivel del mar) se plantan los mismos cepajes. Es
esta altura la que asegura los inviernos rigurosos que
necesita la vid. La lluvia en la zona es muy escasa,
muchas veces en forma de granizo que en pocos
segundos puede arruinar todo un viñedo. Las plantas dependen totalmente del riego que se hace con
el agua de deshielo de la Cordillera, hábilmente
canalizada. Para contrarrestar el fuerte sol, las plantas se podan en forma de parral. Las uvas maduran
así bajo un techo de hojas.

*La lagrimilla, fue el
primer vino prove-
niente de América
que fue probado en
la corte de los Reyes
de España.
Este vino fue elabo-
rado en la estancia
jesuítica de Jesús
María.*

Si bien la provincia de Mendoza produce el 70 % del
total de la producción de vino en la Argentina, las
provincias de San Juan, La Rioja, Salta y el Valle del
Río Negro, tienen también excelentes vinos.

La Argentina tiene los mejores tintos de Sudamérica
y su Malbec es el mejor del mundo. La cepa del
Malbec originaria de Bordeaux, se cultiva preferentemente en Mendoza. Entre los vinos blancos, el más
famoso es el aromático Torrontés, vino originario de
España que se cultiva en La Rioja y en Salta.

*Producción de vino
en Mendoza según
apuntes de John
Miers, 1826*

Bebidas

Azucarera de plata colonial

El agua en la época de la colonia llegaba a las casas traída por el aguatero o se la sacaba con baldes de los pozos, que aseguraba siempre mejores condiciones de higiene.

Las otras bebidas sin alcohol que se tomaban y se siguen tomando hoy en día, además del agua y la leche, son el mate, el café y el chocolate.

El **mate**, la bebida nacional, se toma cada vez más, no solamente en la Argentina, ya que también se ha hecho una costumbre en el resto del mundo.

El Jesuita Misionero José Guevara, ya a mediados del siglo XVIII decía, "tan usual en estas partes de América que ni el chocolate, té ni café han merecido en parte alguna, tanta extensión. Desde el bozal más negro hasta el caballero más noble, lo usan. Si llega un huésped aunque sea a una vil choza o rancho campestre, mate para descansar; si sudado, mate para desudar, si sediento, mate para apagar la sed; si soñoliento, mate para despabilar el sueño; si con la cabeza cargada, mate para descargarla; si con el estómago descompuesto, mate que lo componga…"

Mate mendocino

Carlos E. Pellegrini (1800-1875) "Aguatero"

Tomar **café** con un amigo es una costumbre muy argentina. Los argentinos se pueden pasar horas conversando delante de una taza de café y ningún mozo soñaría en pedirles que dejen la mesa, aunque haya gente esperando un lugar.

Se puede tomar un café (en taza chica), un cortado (con un poco de leche), un café doble (en una taza más grande), o un

café con leche (en taza grande, generalmente para
el desayuno).

El **chocolate**, que ya no es tan común como entonces, se servía siempre acompañado de un vaso de agua.
Lo preparaban en grandes chocolateras de plata.

*Chocolatera de plata
colonial*

Chocolate con leche

Ingredientes
4 tazas de leche
1 taza de agua
2 barras de chocolate por cada taza para chocolate espeso ó
1 barra para chocolate más liviano
azúcar

*Disolver el chocolate en 1 taza de agua previamente calen-
tada junto con el azúcar. Agregar la leche y poner a calentar hasta antes de hervir. Retirar. El chocolate nunca debe
hervir porque pierde su aroma.*

En los bares en la Argentina suele servirse hoy en día
el **submarino,** un chocolate que se prepara más rápidamente: se disuelve una barra de chocolate se-
midulce en una taza de leche bien caliente y se le
agrega azúcar.

*La leche también era
traída a caballo de
las chacras y estancias
de los alrededores.
E. E. Vidal los describe
así: "La traen a ca-
ballo en botellas de
barro o lata, en cada
caballo llevan cuatro
y a veces seis botellas
dentro de bolsones de
cuero atados a la mon-
tura con una cuerda."*

*Emeric Essex Vidal
(1791-1861)
"Lecheros"*

Quesos

El 9 de marzo de 1803, Juan Hipólito Vieytes publica en su Semanario de la Agricultura, Industria y Comercio el método de fabricar queso de buena calidad, con receta incluída. Hasta ese momento, los quesos que se consumían en la colonia eran casi siempre traídos de Europa o preparados en las casas con recetas traídas de España. Vieytes, lógicamente aconsejaba a los ganaderos a producir queso en el país. Y así se hizo. Hoy en día grandes fábricas argentinas producen excelentes quesos, muchos de los cuales llevan nombres europeos: Camembert, Cheddar, Fontina, Provolone, Gruyère, Parmesano, Reggiano, Roquefort, etc. Estos quesos se producen con las recetas traídas de Europa. Pero el gusto de las comidas llevadas a otra región, nunca puede ser el mismo: el clima, el agua, el suelo y la materia prima son otros. El gusto de las comidas no viaja bien.

A fines del siglo xviii, comenzaron a aparecer los primeros talleres donde se elaboraban quesos y cuajadas. La costumbre era la de venderlos de casa en casa.

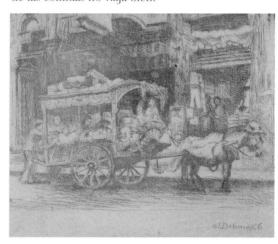

Guillermo Dohme, "Vendedor ambulante", 1966

Los mejores quesos argentinos

Goya: queso de pasta semidura, originario de la provincia de Corrientes, de sabor picante y ligeramente salado, usado para rallar.

Chubut, Huemul y Mar del Plata: son de pasta semidura, salados y muy similares a los quesos holandeses. El Huemul es uno de los mejores quesos argentinos.

Tafí: tipo Cantal, de pasta dura, madura al pie de las Cumbres Calchaquíes en la Provincia del Tucumán. En Tafí dicen que este queso se hace de leche perfumada con las pasturas de la región.

Queso de Tandil

Cafayate: queso semiblando de muy buen sabor, originario de la provincia de Salta.

Atuel: queso de postre, tipo Port Salut.

Tandil: queso de pasta firme.

Salteño: queso condimentado con ají.

Quesillo: queso de cabra que acompaña el arrope (jarabe muy espeso que se obtiene del fruto del mistol (Zisiphus mistol)o de la tuna (Cactus opuntia), es de pasta elástica. Se prepara a partir de un queso oreado cortado en finas tajadas que se echan en agua hirviendo con sal. Cuando el queso empieza a formar fibras, se lo retira del agua y se lo amasa hasta lograr una pasta suave y lisa. Se lo seca al aire sobre un entramado de cañas.

Con el asado se acostumbra a comer queso **Provolone** a la parrilla: después de ponerle aceite de oliva y espolvorearlo con pimienta y orégano, se asa unos segunos de cada lado. Debe estar blando pero no debe derretirse.

En febrero, en Tafí del Valle se festeja la Fiesta del Queso donde se premian los mejores quesos del Valle. Algunos de ellos no se hacen en moldes sino que se usan cinchones de paja trenzada y se prensan entre dos piedras. Estos quesos tienen la particularidad de llevar en su corteza la marca de la trenza de paja.

Los postres

Los postres argentinos varían según la región, sólo el dulce de leche reina en todo el país. En el norte son famosos los postres con gran cantidad de huevos: flan, ambrosía, huevos quimbos. En el sur se hacen dulces de calafate (Berberis heterophyla), de ruibarbo, de frutillas y de frambuesa. En el Noroeste, en cambio, son de tuna, de higo y de cayote y en el Noreste, de mamón.

Mamón
(Papaya carica)

Flan

El flan es, junto con los helados y el postre vigilante, el postre más solicitado en los restaurantes argentinos. Este postre es de origen español, pero el flan argentino tiene una diferencia, se come con dulce de leche.

Ingredientes
1 litro de leche, 4 huevos, 2 yemas
3/4 de taza de azúcar molida
esencia de vainilla
caramelo, preparado con 100 gr de azúcar y agua

Hervir la leche con el azúcar y revolver con cuchara de madera hasta que el azúcar se haya disuelto. Aparte, batir los huevos y las yemas con unas gotas de esencia de vainilla y volcar la leche dentro de la preparación, revolviendo constantemente. Colar la preparación y ponerla dentro del molde con el caramelo. Poner el molde dentro de un bol lleno de agua y cocinar en el horno durante 1 hora. Para saber si está listo, probar con un cuchillo que debe salir limpio.

Caramelo
"Se pone en una cacerola 100 gr de azúcar molida, se le añade una cucharada de agua y se coloca al fuego, revolviendo de cuando en cuando, hasta que esté bien derretida y tome color."
(Doña Petrona C. de Gandulfo)

Dulce de leche

En 1908, la fábrica La Martona, en Cañuelas, fue el primer establecimiento que produjo dulce de leche. Hoy se producen alrededor de 120.000 toneladas de dulce de leche por año y se exportan unas 3.500.

La mitad de los postres argentinos desaparecería si no existiera el dulce de leche. Todo argentino en el exterior, cuando no consigue dulce de leche, sufre el síndrome de abstinencia y todos los que se van de viaje siempre llevan dulce de leche en el equipaje. Al principio, los extranjeros que lo prueban, lo encuentran demasiado dulce, pero después de un tiempo ellos también se dejan vencer por esta pasión.

Su origen es incierto, pero a los argentinos nos gusta la leyenda sobre su nacimiento, y como todas las leyendas, debe tener su base de verdad.

Cuentan que en el año 1829, Juan Manuel de Rosas estaba en Cañuelas, Provincia de Buenos Aires, cuando fue visitado por el General Juan Lavalle, que no era precisamente su amigo. Rosas había salido del campamento y Lavalle, muy cansado, se recuesta en el catre de Rosas y se queda dormido.

Albérico Isola, (1817-1850) "Usos y costumbres de Buenos Aires", 1844

A la negrita que estaba preparando la lechada (leche y azúcar para el mate), no le gustó nada que el adversario de su patrón se acostara en su cama. Salió corriendo para dar aviso y se olvidó de su lechada, que siguió hirviendo lentamente al rescoldo. Cuando volvió Rosas, dejó que Lavalle siguiera durmiendo y la negrita volvió a la cocina. Su lechada se había puesto marrón pero era riquísima. Había nacido el dulce de leche.

Esto sucedió el 17 de Julio de 1829.

Ingredientes
3 litros de leche
1 kg de azúcar disuelto en 1/2 litro de agua caliente
1 vaina de vainilla
1 pizca de bicarbonato

Hervir la leche con el bicarbonato (en lo posible en una paila de cobre) y agregar el azúcar disuelto y la vainilla. Dejar que hierva muy lentamente hasta que el dulce tome punto y color (unos 50 minutos) sin dejar de revolver con una cuchara de madera para que no se pegue ni se queme. Una vez terminado, revolver hasta que se enfríe. Para acelerar este proceso se puede poner la paila o cacerola en un recipiente con agua fría.

Huevos quimbos

Los huevos quimbos son un postre de origen árabe traído a estas costas por los españoles. Se cocinan en pequeños moldecitos llamados quimberas.

Ingredientes
8 yemas, 1 clara
1 cucharada colmada de harina leudante
Almíbar (agua y 1/2 kg de azúcar)

Batir las yemas y la clara hasta que estén bien mezcladas, (tienen que tener un color blanquecino), agregar la harina en forma de lluvia. Untar las quimberas con manteca y harina, llenarlas hasta la mitad y cocinar en el horno hasta dorar la preparación (no más de 15 minutos).
Desmoldarlos en almíbar hirviendo. Servir fríos.

"Como ésta es la época de la fruta, había mucha gente que pregonaba duraznos por la calle, siempre a caballo, con grandes canastos hechos de cuero crudo colgado de cada lado. La leche se anunciaba de la misma manera y como los caballos pasan trotando, siempre pienso, que en algún momento van a tener que cambiar el pregón y pasar de leche a manteca."
(Brackenridge)

César H. Bacle
(1794-1838)
Trajes y Costumbres
de Buenos Aires,
"El Panadero"

Ambrosía

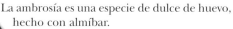

La ambrosía es una especie de dulce de huevo, hecho con almíbar.

Fue el presidente Domingo F. Sarmiento quien bautizó este postre.

Ingredientes
12 yemas de huevo
1/4 litro de agua
1/2 kg de azúcar

Se baten las yemas hasta que se aclaren. Aparte, hacer un almíbar con el azúcar y el agua y cuando tome punto espeso, echar en el almíbar las yemas poco a poco. Mezclar lentamente hasta que cuajen las yemas. Servir frío.

Arrope de tuna

Tuna
(Cactus opuntia),
Florian Paucke,
(1719-1779)

Juan León Pallière,
(1823-1887)
"Panadero de la Calle
de San Martín",
Buenos Aires

En las zonas áridas y semi áridas de la Argentina, como por ejemplo la zona de Santiago del Estero, crecen las tunas naturalmente.

Ingredientes
2 kg de tuna, 1/2 litro de agua

Pelar las tunas, cortarlas en pedacitos y ponerlas en una cacerola de cobre apenas cubiertas de agua. Cuando las tunas están totalmente deshechas, se cuela la preparación por un tamiz grueso que impida el paso de las semillas. Volver al fuego hasta que el arrope se espese y tome un color oscuro. Lo ideal es cocinarlo al suave calor de las brasas ya que el fuego debe ser mínimo. Debe revolverse con cuchara de madera.

Alfajores

La palabra alfajor deriva del árabe *alfahúa* que quiere decir panal de miel.
En la Argentina los alfajores son dos piezas circulares de masa adheridas una con otra con dulce, casi siempre con dulce de leche.

Colaciones cordobesas
Ingredientes
2 tazas de harina
1/2 cucharadita de polvo de hornear
8 yemas
1 cucharada de azúcar
1/2 copita de caña

Mezclar los ingredientes, cortar las colaciones, pincharlas y ponerlas en el horno bien caliente ahuecándolas para llenarlas de dulce de leche una vez enfriadas. Al final se le pone un baño de azúcar y agua caliente.

Alfajores santafecinos

Ingredientes
600 gr de harina, 1 pizca de sal fina
4 yemas
200 cc de agua
120 gr de grasa de vaca
Para unir
1/2 kg de dulce de leche
Para el baño
400 gr de azúcar, 1 taza de agua, 2 claras

Poner la harina en forma de aro y trabajar la masa desde el medio poniendo las yemas, la sal, el agua y la grasa bien blanda en el centro. Sobar durante un largo rato. Dejar descansar la masa y volver a amasarla. Estirar la masa, cortar medallones y cocinarlos en el horno sobre placas en-mantecadas y enharinadas. Una vez fríos, unirlos con dulce de leche. Para el baño hacer un almíbar punto hilo duro con el azúcar y el agua, y volcarlo sobre las claras sin dejar de batir. Bañar los alfajores.

Maní

El maní (Arachis hypogaea) es originario del Norte argentino y los aborígenes lo comían frito o tostado junto con el maíz.

No es un fruto seco como se cree, sino una legumbre.

En las calles de Buenos Aires muchas veces se siente el olorcito a garrapiñada: maní con azúcar, y es difícil resistirse.

Maní
(Arachis hypogaea),
Florian Paucke,
(1719-1779)

Garrapiñada

Ingredientes
1 taza de azúcar, 1 taza de agua
3/4 de taza de maníes crudos, pelados

Colocar el azúcar y el agua en una cacerola de cobre y cocinar a fuego lento hasta que se haga caramelo. Entonces se agregan los maníes y se revuelven, siempre con cuchara de madera, hasta que el ma-ní se caramelice totalmente.

Postre Vigilante

Uno de los postres argentinos más famosos son el **Postre Vigilante**, el postre que prefería Jorge Luis Borges: queso con dulce de membrillo y el **Postre Martín Fierro**, queso y dulce de batata.

Calendario

Las fiestas, que comúnmente están relacionadas con las comidas, son muchas veces una mezcla de tradiciones de indios, de españoles y de inmigrantes, especialmente en las provincias argentinas más alejadas de Buenos Aires.

En el Noroeste, se festejan algunas fechas que recuerdan los ritos que cumplían los indios mucho antes de la llegada de los conquistadores.

En Salta, Jujuy y Catamarca todos los **1° de Agosto** se festeja el día de la Pachamama. La Pachamama es la Madre Tierra, la diosa que protege al hombre y a los animales y hace crecer los cultivos. Para homenajearla, se hace un hoyo en la tierra y se le ofrece coca para masticar, vino y dulces. Ese día se come pan casero con chicharrones, locro, empanadas y se toma chicha, vino patero y de postre se prepara api (una mazamorra que se bebe caliente con azúcar, limón y canela espesada con harina de maíz).

En el Chaco, ese mismo día se toma en ayunas o antes del mate una mezcla de ruda macho y caña para protegerse de las enfermedades que trae agosto. Ese día, además, hay que sahumar la casa con incienso para protegerla.

En Santiago del Estero, para el 1° de Agosto, se sirve alcuco, una sopa espesa a base de trigo bien molido y charqui o carne de cabrito. Se cree que ese día, Tanico, el diablo hecho hombre, (Tanico significa hambre), recorre las cocinas con su gran sombrero. Todos quieren dar la sensación de prosperidad para que Tanico, el hambre, pase.

*Caña de azúcar
(Sacharum officinarum)*

*Ruda
(Ruta graveolens)*

*Jacob van Meurs,
"Alegoría de América"
Amsterdam, 1671*

El **2 de Noviembre**, Día de las Almas o de los Fieles
Difuntos, en Jujuy se preparan las comidas favoritas
de los muertos. No es sólo una manera de recordar-
los, sino que en la Quebrada se cree que ese día los
muertos vuelven a visitar sus casas. Con masa de pan
se preparan figuras de animalitos, ángeles, escaleras,
y se las pone en un pequeño altar para esperar la llegada de las almas.

Para las fiestas religiosas, muchos de los inmigrantes
han importado sus costumbres y tradiciones, pero,
lamentablemente, el ciclo agrario no coincide con el
europeo: **Pascua** cae en otoño y **Navidad** en verano.
Para Navidad, a pesar del calor, se preparan comidas
con nueces, almendras, miel, ron y chocolate. Los
alemanes preparan Stollen, los Galeses sus tortas car-
gadas de frutas secas, los Españoles no se olvidan de
su turrón y los Italianos hacen el riquísimo pan
dulce. Este pan dulce, el alto, horneado en una
forma especial, que se parece mucho al pan
dulce napolitano, es el que más se consume en
la Argentina.

*Anónimo
"Huida a Egipto",
Cuzco, siglo xviii*

Para el **6 de Enero**, Día de los Reyes Magos, la
costumbre es preparar una rosca. Adentro de
la Rosca de Reyes se pone una sorpresa que
suele ser una figura de porcelana represen-
tando al Niño Jesús. El que la encuentra, ten-
drá suerte todo el año. En el Norte, para Reyes
se sirven chipás.

El **Carnaval** prácticamente no se festeja en Buenos Aires. En Corrientes o en las provincias del
noroeste, los bailes se acompañan con mucha
chicha, empanadas, choclos y quesillo de cabra.

Anónimo
Cuzco, siglo xviii,
"Última Cena"

En la época de la colonia, la abstinencia de carne durante la **Cuaresma** era tan estricta que sólo se faenaban las reses para el sustento de niños y enfermos "dispensados por la Bula". Pero como la Cuaresma cae en otoño, la falta de carne se compensa con la abundancia de fruta.

Para el **Viernes Santo** se preparan las riquísimas empanadas de vigilia: de verdura, pescados y mariscos. Para el **Domingo de Pascua** no debe faltar la Rosca de Pascua con huevos, una costumbre a la que se le han agregado huevos, conejitos y gallinas de chocolate, costumbre traída por los pueblos del norte de Europa.

Para el **24 de Junio**, día de San Juan, en las provincias del norte se encienden enormes fogatas y se festeja el solsticio comiendo matambre hervido, chicharrón trenzado, chipá bejú y empanadas de mandioca.

El **29 de Junio**, Día de San Pedro y San Pablo, en la costa atlántica se festeja al Santo Patrono de los pescadores, San Pedro, preparando merluza a la sidra.

"Chocolate y tortas dulces son el desayuno habitual de las clases altas. La sopa tiene una mezcla de carne de cerdo cortada en pequeños pedazos con muchos vegetales; u otra clase con huevos, pan y espinaca con tarteletas de carne, como primer plato; éste es seguido por carne asada y finalmente llega el pescado... Las señoras no toman nada más que agua y los caballeros toman vino blanco de San Juan o tinto de Mendoza."
(A. Gillespie, 1818)

Pesos y medidas

Las recetas argentinas siempre llevan las medidas en kilogramos, gramos y litros y muchas veces para simplificar, se usa el contenido de tazas, cucharas, etc.

En las recetas antiguas, las cantidades pocas veces se indicaban claramente, salvo, curiosamente, la cantidad de huevos, que siempre se especificaba. Los otros ingredientes se nombraban vagamente: "un poquito de azúcar", "bastante harina", "una pizca de sal", "un puñado de perejil".

Albérico Isola,
"Usos y costumbres de
Buenos Aires", 1844

C. E. Pellegrini
(1800-1875)
"Interior de Rancho",
1841

Líquidos			Sólidos	
150 ml	1/4 pint	2/3 taza	25 gr	1 oz
300 ml	1/2 pint	1 1/4 tazas	100 gr	4 oz
450 ml	3/4 pint	2 tazas	350 gr	12 oz
600 ml	1 pint	2 1/2 tazas	450 gr	1 lb
1 litro	1 3/4 pints	4 1/4 tazas	1 kg	2 1/4 lb

Medidas aproximadas y equivalencias

1 vaso	=	2 a 2.5 dl	=	7-8 fl oz	=	1 taza
5 cucharadas	=	1 dl	=	4 fl oz	=	1/2 taza

Bibliografía

H.M.Brackenridge, *Voyage to Buenos Aires*, London, 1820

Gerald Durrell, *The Whispering Land*, London, 1961

Amedée Frézier, *Crónica*, Amsterdam, 1717

Petrona C. de Gandulfo, *El libro de Doña Petrona*, Buenos Aires, 1940

A. Gillespie, *Gleanings and Remarks*, Leeds, 1818

J. M. Gorriti, *La cocina ecléctica*, Buenos Aires, 1999

A. Guinnard, *Tres años de cautiverio*, Buenos Aires, 1999

T. W. Hinchliff, *South American Sketches*, Londres, 1863

B. Koessler-Ilg, *Cuentan los Araucanos*, Buenos Aires, 1996

John Miers, *Viaje al Plata*, Buenos Aires, 1968

Florian Paucke, *De allá y para acá*, Tucumán, Buenos Aires, 1943

L. Mansilla, *Una excursión a los indios ranqueles*, Buenos Aires, 1940

J. Sánchez Labrador, *El Paraguay natural*, Tucumán, 1948

Ulrich Schmidel, *Vera Storia*, Nürnberg, 1599

E. E. Vidal, *Picturesque Illustrations*, Buenos Aires, 1943

Índice analítico

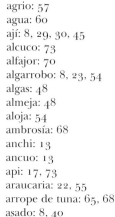

Índice

Albérico Isola, "Usos y costumbres en Buenos Aires", 1844